Das Unbewusste bewusst entfalten

Eigenes Potenzial heben – Orientierung finden

Michael H. Beilmann

Band 2

Mein persönliches Anliegen: In dieser Schriftenreihe veröffentliche ich persönliche Texte, die aus einem intuitiven Impuls heraus entstanden sind. Sie blicken hinter den Schleier oberflächlicher Deutungen, nehmen aufsteigende Empfindungen auf, thematisieren auch persönliche Verletzungen und erweitern den Blick auf tiefere Zusammenhänge.

Ziel jeden Artikels ist es dir Reflexionsräume für deinem eigenen Lebenskontext anzubieten und das eigene Handeln in seiner Entstehung zu betrachten.

Die Texte können dich unterstützen, an möglichen inneren Widerständen zu wachsen. Die Ausführungen können dich inspirieren, bestätigen oder zu weiteren konkrete Einsichten führen, vielleicht sogar neue Pfade im eigenen Leben zulassen.

Ich freue mich darauf mit dir darüber in einen Austausch zu kommen. Alles Gute auf deiner Forschungsreise – Namaste...

kontakt@wuerde-impulse.de

 tredition

ISBN Softcover: 978-3-384-01094-0   Band 2

Druck und Distribution im Auftrag :
tredition GmbH, Heinz-Beusen-Stieg 5, 22926 Ahrensburg, Germany

Redaktioneller Hinweis: In den Texten wird das generische Maskulinum verwendet, womit ich ausdrücklich alle, besonders alle Lesenden, mitgemeint wissen möchte.

*ein möglicher **Fettdruck** gibt dem Text eine Orientierung

INHALTSVERZEICHNIS

EINLEITUNG

Beigefügte Texte sind feinsinnig, inspirierend und mit der Brille eines inneren Wanderers geschrieben, um sich der eigenen unbewussten Anteile bewusster zu werden. Er stellt dir Stimmungen, intuitive Bilder und damit verbundene Empfindungen zur Verfügung. Dabei werden aufkommende Gefühle interpretiert, sie drücken aufkeimende Hoffnungen aus und beschreiben die Sehnsüchte des Augenblicks aus verschiedenen Perspektiven. Es wird eine bildhafte, intuitive Sprache verwendet, um das Erleben der aufkommenden Wahrnehmungen zu veranschaulichen. Es ist das Ziel, dir bewusst die eigene Selbstwirksamkeit zu spiegeln, dich als Gestalter deines eigenen Lebens zu erleben oder dich zu ermutigen, eine Entdeckungsreise zu starten. Hoffentlich bestärken dich die Ausführungen, um mit möglichen Unsicherheiten unserer Zeit anders umgehen zu lernen.

Die Artikel beleuchten auf vielfältige Weise verschiedene Herausforderungen des Lebens, scheuen sich nicht, die eigenen Verletzungen zu thematisieren. Vielleicht tragen sie dazu bei, sich in deinem Bewusstsein harmonisch zu einem pragmatischen und spirituell ganzheitlichen Lebensentwurf zusammenzufügen.

EINDRÜCKE VON LIEBE

Welch eine Sinfonie über fünf Tage! Ich bin getragen von einer Vielzahl von Momenten mit unterschiedlichen Geschmäckern, Klängen und Farben, die mein System irgendwie zu integrieren versucht. Diese Erlebnisse habe ich als Zeuge dieser Momente zu einzelnen Sätzen komponiert. Schon für sich allein sind sie reich an Melodien und Abwechslung. Aus all dem entsteht nun eine Sinfonie - eine echte Herausforderung.

Die Partitur zeigt eine Variationsbreite einzelner Stimmen, die in einem Satz von der erfüllenden Selbstliebe bis zur unerfüllten Du-Liebe reicht. Wenn ich mich darin fallen lasse, spüre ich die enorme Kraft und hoffe, durch ihre Beschreibung die einzelnen Tonfolgen noch besser verstehen zu können.

Zuerst dringt der zuletzt erlebte Satz der Komposition mit dem Titel „die unvollendete Liebe" in mein Bewusstsein. In der Begegnung mit diesem Liebeseindruck erlebe ich feine Schwingungen, die durch fragende Blicke, dennoch zarte, fast unsichere kurze Berührungen oder auch Momente des Vermeidens direkter Berührung, eine Ausbreitung stärkerer gemeinsamer Nähe in Grenzen halten. Denn ihre Zuwendung zu einem anderen Liebessubjekt ist wider Erwarten mit einem feinen Stich im Herzen verbunden. Irgendwie spüre ich den Verlust einer Gemeinsamkeit und automatisch keimen Facetten eigener Unfertigkeit und innerlich belastender Gefühle auf. Das Unvollendete brennt unerwartet wie eine Wunde des kognitiv beendeten Miteinanders und hinterlässt einen schalen Geruch des dadurch verunmöglichten Erlebens. Auch wenn dieses Wissen noch an mir zehrt, wünsche ich ihr von Herzen das größte Glück.

Ein weiterer musikalischer Satz mit dem Titel „Die tiefe Liebe" ergänzt, schwingt und tanzt zwei Tage vorher durch mein Bewusstsein. Tonfolgen als ineinandergreifendes Sein in einem Kreis der Unendlichkeit. Hier zeigt sich eine tiefe, dem Verstand unerklärliche Verbindung, die auch einzelne Töne in der Nähe zum Flirren bringt, im natürlichen Maß erklingt und gleichzeitig in einem strahlenden, grenzenlosen Raum stattfindet. Viele gemeinsam erlebte Momente springen aus der Zeit in eine ewige Einheit und vermögen diese Augenblicke in eine innere Ekstase der Freude und des Friedens zu führen.

Fast wie eine Entspannung auf dieser hohen Frequenzen fügt sich in meinem Bewusstsein eine Art „leichte Liebe" hinzu. Durch die Blicke auf die sanften und idealtypischen Bildfolgen einer

Seifenoper im Fernsehen vermögen es die Schauspieler Entspannung und Leichtigkeit zu vermitteln. Es sind Szenen, die bereits in der Inszenierung fast schon peinlich einfach sind und dennoch innerlich eine beruhigende Resonanz erzeugen.

Ein weiterer Eindruck der letzten Tage verbirgt sich im Eindruck der „unmittelbar erlebten Liebe", die sich durch Momente der Vertrautheit und Unmittelbarkeit auszeichnet. Ein

Wenn Liebe in verschiedenen Farben das Bewusstsein berührt

langjähriges Kennen der gegenseitigen Eigenheiten liefert einen vertrauten Grundton und gibt der gesamten Sinfonie eine tragende Farbe. Diese Empfindungen nähren das Herz mit Sicherheit spendender Geborgenheit und geben der Zunge die Leichtigkeit, Worte in passenden Frequenzen auszudrücken. In diesem Eindruck der Liebe bündelt sich so etwas wie ein einziger langgezogener Ton, der irgendwie auf seine spezifische Weise das Wissen um Beständigkeit und die Heilung auch verletzter Erfahrungen durch den Austausch von Alltäglichkeiten zu bewirken vermag.

Als letzter Satz, aus der Tiefe der Sinfonie der Liebe, prägt sich die Kontur verschiedener Begegnungen als eine Art „wie selbstverständliche Liebe" ins Leben ein. Es sind Modi des Verstehens durch das Teilen gemeinsamer Erfahrungen aus der Vergangenheit und identitätsbildende Momente, in denen die Seele Nahrung und Stärkung erhält und in denen die innere Konzeptualisierung zur Erklärung von Lebenszusammenhängen auf wohlwollende Resonanz stößt. Solche Momente geteilter Zeit lassen die klassischen Empfindungen des Chronos (als lineare Zeit) wie im Flug vergehen und erheben den Kairos (als Wahrnehmung günstiger Momente) zum freudigen Dauerzustand.

All diese besonderen Eindrücke der Liebe in ihrer je eigenen Nuance versetzen den Raum zwischen den Menschen in besondere Schwingungen und hauchen dem Wort „Liebe" in all seiner

Unbegreiflichkeit je eigene Qualitäten im Leben ein. Zugleich haben alle diese Empfindungen mit Berührung und Beziehung zu tun. Auch in der Einsamkeit finden sie ihren Widerhall, doch gerade die scheinbar immer wiederkehrende Schleife geteilter Liebe führt zur Vermehrung des inneren Glücks im Augenblick und ermöglicht einen gemeinsam empfundenen inneren Frieden.

So beinhaltet die Sinfonie „Eindrücke von Liebe" auch das Leiden. Denn wenn der Fokus der Liebe unerwidert auf einen anderen Menschen gerichtet wird, sobald also die Vermehrung der Liebesempfindungen keine Erwiderung erfährt, führt dies zu einer großen inneren Leere. Ungewollt steigert sich dann der Wunsch, immer wieder neue Eindrücke von „Liebe" teilen und unbedingt erfahren zu wollen. Gerade durch einen solchen Willensakt ist das Scheitern vorprogrammiert. Denn Liebe geschieht einfach und verbirgt sich geschickt vor dem Wollen.

Welch ein Geschenk, in einer solch gesteigerten Bewusstheit leben zu dürfen, um die verschiedenen Eindrücke des eigenen Seins auch sich selbst schenken zu dürfen. Es ist ein Weg zu einer neuen Haltung, den ich vertiefter gehen möchte. So beginne ich mit einfachen Affirmationen und dem Austausch über die Vielfalt der Erfahrungen, um die Sinfonie zu einer Art Potenzialentfaltung auszuarbeiten. Denn wodurch kann Selbstliebe wachsen, unerfüllte Liebe geheilt und weniger betrauert, können vor allem Sehnsüchte gestillt werden? Durch die genaue Wahrnehmung der Eindrücke von Liebe, oder?

ERKENNTNISSCHMERZ

Erneut: Zweifel lassen mich nachts wach werden. Liegt ein überraschender Vertragsbruch geschäftlicher Beziehungen an mir oder was leite ich aus der damit verbundenen Reflexion über das Ende des Projekts nun ab?

Wie ein Paukenschlag aus dem Nichts wird ein zugesagter - und aus gutem Glauben mündlich bestätigter Auftrag - gestoppt. Dabei bleiben strategische, operativ begonnene Inhalte unbeantwortet, vereinbarte Aufgaben hängen in der Luft, Prozesse verbleiben trotz Rückfrage offen und ungeklärt, unbezahlte Rechnungen stehen noch aus. Ohne Rücksprache, ein Telefonat oder klärendes Gespräch sorgt etwas Hintergründiges für das Ende großer Hoffnung. Und das erzeugt auch bei allen anderen Beteiligten an diesem Projekt Unverständnis.

> Wenn Liebe in verschiedenen Farben das Bewusstsein berührt

Unklar bleibt auch nach Tagen, welche Motive dem Ganzen zugrunde liegen. Vielleicht waren es ja persönlich emotionale oder sachlich relevante Gründe, die den Ausschlag gaben? Oder ob gar von mir selbst unbemerkte Disharmonien Anlass für die irrationale Entscheidung zugrunde lagen? Die Spurensuche eigener oder struktureller Fehler geht weiter. Auch die Rückbesinnung auf konstruktive wie wegweisende Gespräche noch vor nicht zu allzu langer Zeit zeigen keine in mir liegende offensichtliche Verantwortung, die eine solche Entscheidung rechtfertigen würde. Meine gründliche Abwägung und auch reifliche Selbstkritik führt zu keiner befriedigenden Antwort. So stehe ich gefühlt vor einer Ruine hoch geflogener Gedanken und verstehe nicht.

Doch was genau verstehe ich nicht? Ganz nüchtern betrachtet erlebe ich, wie manche - vor allem finanziell begüterte - Menschen im Selbstbild eine andere persönliche Reifestufe einnehmen als die, auf der ich sie letztlich befinden. Für mich betrügen sie sich häufig durch ihr Verhalten selber.

Dadurch wird mir deutlich, wie sehr das eigene Handeln von unbewussten Impulsen gelenkt wird. Auseinandersetzungen, offene Klärungsprozesse und die Fähigkeit emotional tiefergehende Konflikte auszutragen sind im eigenen persönlichen Repertoire oft weniger ausgeprägt. Auch die eigene Selbsteinschätzung führt nicht selten schleichend zu einem Dünkel von Macht und Status und schwächt oft die Möglichkeit Empathie auszubilden. So beobachte ich, wie deren Alltag wiederholt durch das Hamsterrad der Aufgaben beziehungsweise einer Scheinwelt von Anerkennung sowie ihnen entgegen gebrachte Höflichkeit und Dienstbarkeit das eigene Selbstbild oft vernebelt.

So erlebe und reflektiere ich in diesem Falle eine fehlende Um- und Weitsicht, kann den Kontrast von Wort und Tat nicht glauben. Vielleicht spiegelt die Situation auch den Inhalt meiner eigenen Unfertigkeit wieder oder zeigt Zustände des Seins, die ich über das gemeinsam bis zu diesem Zeitpunkt erfolgreich umgesetzte Projekt erkennen soll? Vielleicht geschieht ja psychologisch eine Übertragung?

Hilfreich für mich ist die Sicht der integralen Bewusstseinsentwicklung. Sie bestätigt ein solches Verhalten, bei dem sich die Macht eines weniger entfalteten Bewusstseins gegenüber einem weiterentwickelten meist durchsetzt.

- Die „Unbedarften oder Starken" stürmen die Burg, während die „Abwägenden" noch über die Einnahme diskutieren;
- Die „finanziell Reichen" bestimmen mögliche Projektverläufe, während die „Possibilisten/ Idealisten" mit Geduld an einer Umsetzung arbeiten;
- Menschen, die vor allem „nach subjektiv aufkommenden Gefühlen agieren" fühlen sich zumeist von denjenigen Personen angegriffen, die beabsichtigen, integrative Schritte für die Zukunft einbeziehen zu wollen;
- Menschen mit subjektiv geprägten und moralisch „überladenen" Ideologien verhindern häufig einen ganzheitlichen Blick, der durch eine emotionale Betroffenheit oft ungehört bleibt.

In all der eigenen Reflexion, meinen Interpretationen der unwürdigen Vertragsbeendigung und auch Offenheit für das eigene Lernen aus Fehlern schmerzt mich ein solches Verhalten auf vielen Ebenen. Es schmerzt zu erkennen …:

- … im Unklaren über Trennungsgründe zu bleiben;
- … wie sich Widerhaken unbewussten Verhaltens anderer noch immer ins eigene Bewusstsein verhaken;
- … wie sehr eigene Verletzungen noch immer resonieren und sich nach Heilung sehnen;
- … wie weiterführende, co-kreative Experimentierräume den Kürzeren vor der Macht des Geldes ziehen;
- … wieder einmal dem Schein eines bestimmten Menschenschlags erlegen zu sein;
- … und in der Hoffnung wie auch Gutgläubigkeit enttäuscht worden zu sein.

Doch auch ein anderer Blick entsteht. Vielleicht ist es ja auch das Leid und Glück eines auf Dialog orientierten und feinfühligen Menschen das Leben so sensibel leben zu dürfen.

Wenn Liebe in verschiedenen Farben das Bewusstsein berührt

Der gesamte Prozess der skizzierten Bewusstwerdung löst langsam den Stachel aus meinem Fleisch. Ich nehme die eigenen ausgeprägten Zweifel wertschätzend wahr - und setze diese vor die eindeutige Gewissheit eines engeren Bewusstseinsspektrums. Auch mit dem Empfinden einer gewissen Traurigkeit. Denn gerade in der Auseinandersetzung solcher Reibungsflächen zwischen Menschen könnten große Wachstumspotenziale gehoben werden. Dazu jedoch benötigt es auf beiden Seiten die Willigkeit und auch Fähigkeit. Dies war wohl hier nicht möglich und hat mich wahrscheinlich vor Schlimmeren bewahrt.

DAS GESCHENK DER VIELFALT - EINE SELBSTBEOBACHTUNG

Du stehst vor 1000 Fragen
und sehnst dich nach 1001 Antworten.

Du erfreust Dich am Augenblick,
und strebst nach dem Besitz der Gegenwart.

Du gehst in Kontakt mit anderen Menschen,
und fürchtest die Enttäuschung in Begegnung.

Du fühlst die Freude, und im gleichen Moment
schiebst Du diese wieder von Dir weg.

Du hörst in die Stille,
und die Lautstärke eigener Gedanken übertönt diese.

Du genießt den Hauch des Windes auf Deinem Körper
und schützt Dich durch Kleidung.

Du malst Dir die Erfahrung möglicher Begegnungen aus,
und verhinderst dadurch Beziehung genussvoll anzunehmen.

Du verstehst Zusammenhänge,
und bündelst sie in begrenzenden Worten.

Du sortierst in der Tiefe vergangene Erfahrungen,
und trennst Dich dadurch von der aktuellen Schönheit.

Du sehnst Dich nach Inspiration durch andere,
und vernachlässigt dabei, Dein eigenes Sein zu verschenken.

Du suchst nährende Begegnungen,
und weißt zumindest um die Enttäuschung darin.

Du führst viele Gespräche und Dir ist oft klar,
dass Schweigen oft die stimmigere Verständigung wäre.

Du weißt um das „Du" als Geschenk des anderen an Dein „ICH",
und auch, dass das Dein „Ich" dem „Du" Geschenk ist.

Du erkennst wie Deine Wahrnehmung wie eine Art Sonne scheint,
die die Vielfalt des Scheins vom Sein zu trennen vermag,
und Du als Person vom Schein des anderen beeinflusst bist.

Du entdeckst die Kontur von „etwas", und hältst Dich daran.
Dann bemerkst Du die vorhan-
dene Schönheit eines
„Dazwischen" und Deine eigenen Lernspuren verbreitern sich.

*Wenn Liebe in verschiede-
nen Farben das
Bewusstsein berührt*

Wenn Du nun glaubst, dass sich Dein „Ich" sich wirklich im „Du"
befindet, vertiefe ich mit folgenden Fragen:
Du stellst erst dadurch ein Teil von mir dar, weil unsere materiel-
len Strukturen mit unseren gegenseitigen Wahrnehmungen ein
Resonanzfeld erzeugt und erst dann sichtbar wird. Bin ich also
vorhanden, wenn mich niemand wahrnimmt?

Inwieweit also ist das Streben nach einer bestimmten Vorstellung
eigenen Seins vor allem ein Bild eines Scheins, um der Gestalt ste-
tigen Zwiespalts des Seins oder Nicht-Seins zu entfliehen?

Vielleicht erleben wir im Kontakt mit dem Leben die stetig herr-
schende Polarität, und können durch immer neue Fragen ans
Leben stetig neue und auch hoffnungsfrohe Antworten einer
Sinngebung zu neuen Fragen erschaffen?

DER ANGST MIT EINEM LÄCHELN BEGEGNEN -
EIN TRANSFORMATIONSPROZESS

Nehmen auch bei dir Gedanken zu Krieg in der Ukraine oder andere
multiplen Krisen wie Klima, Energie, Lieferengpässe oder

Ernährung, die alle die Komplexität und Ungewissheit dieser Zeit aufzeigen, viel Raum ein?

Es zeigt sich ein verflochtenes Metasystem, so dass auf den ersten Blick klar wird, dass augenscheinliche „schnelle" Lösungen und Parolen zum Scheitern verurteilt sind. Was stellt in solchen Fällen die menschliche Reaktion auf Unsicherheit dar? Angst.

Dann, wenn wir nicht wissen, in welcher Form wir uns Halt verschaffen können, um Sicherheit zu empfinden, reagieren wir mit unseren Urinstinkten. Da bleibt uns der Kampf, die Flucht oder das Erstarren.

Informativer Exkurs:

In diesem Text gehe ich auf „Angst" ein und lade dich ein, dir zuerst zu den fünf ausgeführten Thesen eine Meinung zu bilden, um den oftmaligen Automatismus „Angst zu entzünden" leichter entschleiern zu lernen:

These 1: Solange ich gegen etwas kämpfe, was außerhalb meines Einflussbereiches liegt, werde ich nichts bewirken können. Empfundener Frust bzw. Enttäuschung können die Folgen sein. Das kann auch dann der Fall sein, wenn es um „systemische" Gegebenheiten, wie politische oder etwa wirtschaftliche Rahmenbedingungen geht oder mir die Ignoranz einer „alleinig gültigen Wahrheit" begegnet.

Folgerung zur ersten These: In der Erkenntnis des Unbeeinflussbaren und in das Vertrauen in meine eigene Individualität nutze ich als persönliches Lebensmotto - „change it, leave it or like it".

These 2: Solange ich nicht erkenne, dass alle Medien durch einen Motor des Interesses, nämlich der Einschaltquote getrieben sind und bewusst subtile menschliche Bedürfnisse aktivieren, solange bleibe ich eine Marionette im Spiel wechselnder vermeintlicher Feindbilder.

Folgerung zur zweiten These: Es geht verstärkt um die Rückgewinnung eigener Deutungshoheit meiner eigenen Realität in der Vielfalt oberflächlicher Bequemlichkeitsbefriedigung.

These 3: Solange ich mich an einer vermeintlich so schönen Vergangenheit orientiere und diese mir in gleicher Form wieder zurückwünsche, vernachlässige ich den Blick auf eine sich rapide wandelnde Gesellschaft. Dadurch blockiere ich mich gegenüber dem Verständnis, Veränderungen als Weg einer notwendigen Erneuerung menschlichen Verhaltens zu begreifen.

Folgerung zur dritten These: Es geht darum, ggf. auch innere Vorbereitungen für eine veränderte Haltung zu treffen, um den unausweichlichen technischen, ökologischen und menschlichen Herausforderungen im zukünftigen Alltag begegnen zu lernen.

These 4: Solange ich aus Angst das Leben, meinen Chef oder gestellte Aufgaben als Bedrohung wahrnehme - und die dadurch destruktive Energie nicht in gestalterische Energie verwandeln kann, besteht die Gefahr die eigene Lebendigkeit zu verlieren.

Folgerung zur vierten These: Es geht um die Stärkung des Vertrauens in die eigene Selbstwirksamkeit und einen Zuwachs an Verständnis, dass das Leben stetigem Wandel unterliegt.

Ein Leitsatz für Bedenkenträger: „change it, leave it or like it".

These 5: Solange ich viel Kraft dafür aufbringe, Scheitern zu vermeiden, verharre ich in den Masken beruflicher Rollen bzw. externer Anforderungen und werde zum Spielball anderer.

Folgerung zur fünften These: Es geht darum, mutig die ersten kleinen Schritte zu gehen, sich wahrhaftig zu zeigen und durch ein Eingeständnis bezogen auf Fehler, sowie Sorgen, die eigene Zufriedenheit und Leistungsfähigkeit gezielt zu erhöhen.

Aus diesen 5 Thesen kann Angst als Ursache wiederholten Verhaltens angesehen werden. Besonders in den letzten Jahren wurde mir, durch viele Gespräche, meine Auseinandersetzungen, gelesenen Medienberichten, beruflichen und auch privaten Bezügen sehr deutlich, wie sehr wir Menschen von der „Angst" dominiert sind und auch aus ihr heraus handeln.

Ich beobachte diese wiederkehrenden Prozesse angstvollen Agierens und versuche zu verstehen, wie Mensch im Laufe der Evolution Angst eher domestiziert hat als sie zu überwinden. So stelle ich fest, wie „Angst" oft den wesentlichen Motor für Verhalten in verschiedensten Zusammenhängen darstellt.

Was bedeutet das? Mein klassischer Lernweg ist geistig-intuitiv. Dies bedeutet zu spüren, welches Gefühl - d. h. eine gespeicherte Erfahrung oder aktuelle Empfindung - sich neben Wissenskonzepten einstellt. Auch lerne ich durch klärende Gespräche und damit verbundene ergänzende Informationen zum jeweiligen Kontext. Durch diverse Achtsamkeitstechniken sind mir verschiedene Angstformen in mir bewusst geworden, die sich häufig durch kognitive Argumente beruhigen lassen, routiniert unterdrückt oder durch geschickte Ablenkungsmechanismen in die eigene Psyche verdrängt werden.

Von ca. einer Milliarde Informationseinheiten, die pro Sekunde auf uns unterbewusst einströmen nehmen wir max. 5% bewusst wahr. Daraus formen sich stetig unbeeinflusst bis zu ca. 40 bis 60 Tausend Gedanken/Tag. Es hat den Anschein, dass wie aus dem Nichts jeweilige Ängste oder auch Freuden entstehen. Persönlich wertschätze ich oft weniger die Freude und zumeist sind es die Ängste um etwas oder vor etwas, die sich länger in meiner Aufmerksamkeit abspielen - als da wären: krank zu werden, kein Geld zu verdienen, ohne soziale Kontakte zu leben oder auf körperliche Nähe verzichten zu müssen, Sorge um Angehörige, die Umwelt, politische Entwicklungen, dass verschiedene Lebenswünsche unerfüllt bleiben, ein Abschluss unerreichbar ist oder auch in den Projekten wie den Arbeitsbezügen nicht zu genügen. Wer kennt so etwas nicht? Sich also mit der eigenen oder auch der kollektiven Angst zu beschäftigen beziehungsweise diese genauer ins Visier zu nehmen, wird oft vermieden. Es entspricht weniger dem Zeitgeist, der sich eher über Spaß, klassisch verstandenem Erfolg oder dem „Schein vor dem Sein" im Leben definiert.

Zwei klassische Umgangsformen mit der Angst, die mir in dem heutigen Zeitkontext sehr ausgebildet scheinen, bestätigen obige Annahmen.

Die **erste Umgangsform** verhindert sich der eigenen Angst zu stellen, was eine sehr differenzierte Ablenkungsmaschinerie durch Soziale Medien, Events, Fernsehen etc. ermöglicht. Denn was ist dann da noch, wenn Leere, Einsamkeit und Lange-Weile spürbar wird?

In der **zweiten Umgangsform** werden gewählte Feindbilder bzw. Sündenböcke wie Eliten, Politiker, Querdenker, Polizisten, Nachbarn, Chefs, Medien, Fan-Gruppen etc. zu Projektionsflächen persönli-

Die Vielfalt des Umgangs mit der Angst erleichtert das Leben erheblich

cher Abwertung oder oft auch über einen Kult des lauten oder verdeckten Niederschreiens abgewertet. Diese Vorgehensweisen, eine Art Auslagerung der eigenen Angst, bestätigt den persönlichen Realitätstunnel und führt langfristig zur Abstumpfung der eigenen Sensibilität oder wird als Angstverursacher verantwortlich gemacht und gleich kollektiv legitimiert. Denn was ist, wenn wir die Verantwortung für unsere Befindlichkeiten, unsere Entscheidungen und deren Konsequenzen übernehmen?

Beide Umgangsformen wirken auf den ersten Blick gewohnt, haben sich durch eine zumeist wohlmeinende Gesellschaftsstruktur durch Gesetze, Demokratieverständnis oder wirtschaftliche Stärke schon fast auf Zellebene in westlich geprägte Menschen eingenistet. Beide Umgangsformen ermöglichen es, sich dem Unterschied zwischen „irrationaler Angst" und dem „menschlich archaischen Urprinzip der Furcht" als Indikator für eine bereits bestehende Gefahr, zu entziehen. Beide Umgangsformen bedienen auch den Opfer-/Täter Diskurs, das Hierarchiegefälle in Beziehungen und die bestehenden Machtstrukturen.

Was könnte daraus gelernt werden? Die Auseinandersetzung mit der dualistisch- (gut und schlecht, richtig und falsch) bewertenden Erfahrung - einer jeden Situation im Leben - führt häufig zu Schuldzuweisungen an andere. Alternativ folgt daraus eine Rechtfertigung eines persönlichen Sich-unbeteiligt-fühlens. Dies zeigt, dass Angst und Schuld sich bedingen.

Ich sehe noch eine **dritte Umgangsform** sich der eigenen Angst zu stellen. Zuerst haben wir sie als solches zu erkennen und zu unterscheiden (z.B. als Angst oder Furcht, als Sorge oder Panik). Sie uns anzuschauen und zu bemerken, dass sie in vielen Arten auftaucht und man ihr als Mensch schlecht entfliehen kann. Vielleicht in Subjekt-zu-Subjekt -Beziehungen. Doch so wie kein Wesen seinem Tod entfliehen kann, kann Leben neuen Glanz entfalten, indem Klärung, bestmöglich über Wertschätzung, des inneren Geschehens zum Maßstab für das eigene Handeln wird. In unserer postmodernen Gesellschaftsstruktur hat sich „Angst" als eine Grundstruktur entwickelt. Heutzutage können wir uns grundlegenden menschlich relevanten Fragen stellen. Dazu gehört auch die Bewusstwerdung eigener „menschlicher WÜRDE", zu der eine Öffnung gegenüber der eigenen Angst gehört. Dem liegt der Wunsch zugrunde die Fülle an Erkenntnis zu erhöhen. Denn Antworten, auch wenn sie neue Fragen aufwerfen, schaffen eine tiefgründige Wahrhaftigkeit und einen kreativen Tanz in den Möglichkeitsräumen des Lebens.

Vielleicht magst du die Chance nutzen dich darin trainieren? Indem du deinen diffus wahrnehmbaren Ängsten zuerst mit einem Lächeln begegnest, nimmst du eventuell schon der Bedrohung über dich in diesem Lebensmoment die Macht. In diesem Bewusstsein gestaltest du deine gemeinschaftlichen Bezüge, in der Familie-, wie im Unternehmen zu freieren inneren Räumen für eine noch unbekannte Ausrichtung einer neuen Zeit. Gerade in diesen Momenten scheinbar pausierender Ängste vor etwas oder um etwas, könnte sich als ein dritter Weg abzeichnen. Vielleicht wird dies auch für dich ein nächster Reifungsschritt und du könntest der inneren und äußeren Spaltung konstruktiver begegnen.

Dieses Verständnis des dritten Weges zeigt, wie sich uns im Außen - d. h. in den Strukturen, in denen wir uns aufhalten - das eigene Innere widerspiegelt. So kann es ein unfassbares Geschenk sein, den Ängsten vor Jobverlust, Verlust von Geld, dem Ausraster des Chefs oder dem Streit mit seinem Partner mit einem Lächeln zu begegnen. Könnte somit die Angst dem Vertrauen ein Tor öffnen? Ich spüre dazu ein klares „Ja". Und du? Was sind deine Impulse und Gedanken zur Angst?

Was geschieht, wenn die Identifikation mit der Angst endet?

Diesen Text kannst du auch auf der Website www.wuerde-impulse.de hören.

GEMÜTSBEWEGUNGEN

Meine Ohren werden weder von außen noch von innen beschallt. Sogar meine Gedanken fließen unmerklich wie ein stiller Bach. Ein solcher Zustand fühlt sich beruhigend, erholsam und scheinbar zeitlos an.

Unabänderlich schreckt mich dann doch irgendwann wieder ein Geräusch auf und lässt teilweise wilde Fantasien ob der Ursache entstehen. Je nach Lenkung der Aufmerksamkeit durchschneiden teilweise Autos oder Motorräder das so erfüllende Orchester der Stille. Verbunden mit bewertenden Gedanken, die zu fein differenzierbaren Stimmungslagen führen und meinen Körper in verschiedenen Graden anspannen. Teilweise erhasche ich dabei einzelne Glaubenssätze, die auch Traurigkeit, Einsamkeit oder Leere hervorrufen und in den Tiefen der Vergangenheit wurzeln.

Ganz speziell sind Aufmerksamkeitsanker, die in Windeseile unbewusst mit Erinnerungen oder Gefühlen ausgeschmückt werden.

Manchmal kommt es mir so vor, als ob ich dabei in einen tiefen dunklen See falle und mir jede Helligkeit abhandenkommt mich zu orientieren. Dieser Fall verhindert den Blick auf die Schönheit in jedem Moment. Doch mehr und mehr wächst in mir eine Freiheit, den Automatismus zu erkennen und mich bewusster mit diesen Ankern beschäftigen zu können. Dabei hilft es, sich der Schönheit in den kleinen und feinen Momenten zu widmen - für mich überall erkennbar in den Strukturen der Natur. Seien es die feinen Windzüge auf der Haut, die verschiedenen Muster im Holz, in der Blüte der Pflanze oder auch den Wolkengebilden.

All diese Ereignisse geschehen unmerklich schnell in einer aufeinanderfolgenden Gegenwart. Vielleicht ist ja dieses sensible Bewusstwerden die Herausforderung im Alltag? Mir dient die Verschriftlichung solcher Gemütsschwankungen, um die Bedeutung stetig anders justieren zu lernen und weniger dem Automatismus zu erliegen.

Mehr und mehr entsteht die Frage, wer denn von Moment zu Moment in dieser Bewusstheit mein Leben lebt? Welche Brille gestaltet die Realität? Ist es die des Kindes, meiner Verletzung, meiner genutzten Medien, meiner Eltern, Partnerin oder mein erwachsenes bewusstes Ich? Diese Zuordnung hilft dabei den Momenten in Beruf und Alltag ihren Platz zuzuweisen, die Abstürze in die dunklen Seen zu minimieren und sich wieder seiner eigenen Macht gegenwärtig zu werden. Vielleicht magst du es mal versuchen, in dir zu klären?

Diesen Text kannst du auch auf der Website www.wuerde-impulse.de hören.

VERWERTUNGSLOGIK

Seit Jahrhunderten schon perfektionieren wir Menschen das Kalkül, aus allem und jedem einen Nutzen zu ziehen. Jede einzelne individuelle oder auch kollektive Revolution führte dazu, den Menschen von jeweils als unnütz und als nur anstrengend definierte Arbeit mehr und mehr zu befreien.

Zuerst halfen die Maschinen, schwere körperliche Arbeiten beim Übergang vom Agrar- zum Industriezeitalter zu transformieren. Nach der nächsten industriellen Revolution folgte das Konsumzeitalter, dann die dritte mikroelektronische, die den Informationsfluss beschleunigte und rapide erhöhte. Heute stehen wir vor der vierten, digitalen Revolution, die nicht nur unser Arbeitsleben verbessern, sondern das gesamte Leben schlichtweg selbst optimieren möchte.

Wenn das Gemüt sich in die Frequenz des Lebens einschwingt

Genau diese Abfolge zeigt mir eine fast schon zellulär verankerte Logik, die sich, so wie mir, vielleicht in unser aller Sein und Handeln unterhalb der Bewusstseinsschwelle eingebrannt hat.

Mir wird durch viele erinnerte Beispiele klar, wie sehr viele Situationen, ein Großteil an Kontakten, häufige Anrufe und Taten einer solchen Nutzen- bzw. Verwertungslogik unterliegen. Erkennbar wird dies an Fragestellungen wie „Was bringt das alles?" oder „Was hat es gebracht?" Darüber wird die Relevanz von Projekten oder sogar von Begegnungen bewertet - ich denke jedem ist so etwas mehr oder weniger auch schon geschehen und zunehmend bewusst.

Eine solche Haltung kann dazu führen, sich das Leben in der Qualität eigenen Seins zu verbauen, da zuerst der Nutzen, das Haben, teilweise auch als Sinn getarnt, im Fokus des Handelns liegt und als Rechtfertigung dient.

So sitze ich gerade in der schönen Natur und halte durch meine Fotografien den Moment fest, erinnere mich an Telefonate, möchte einen Geschäftsabschluss tätigen oder mit meinem Anliegen gehört werden.

Auch zeigen viele Arbeitskontexte verstärkt diese Gesichtspunkte, denn gerade hier wird Leistung als effektiv genutzte und effizient verbrachte Zeit gegen Geld getauscht. Sobald Zeit dem geforderten Nutzenkalkül von Gewinn und Verlust nicht mehr entspricht, geht der Daumen der Führungsperson oder des Kunden von Akzeptanz und Sympathie nach unten - wobei es unbedeutend ist, welche weiteren Kompetenzen jemanden darüber hinaus auszuzeichnen vermögen.

Ich bin schockiert, in wie viele Lebenssituationen sich dieser Automatismus eingefressen hat. Sogar in den intimen Bereichen von Partnerschaft und Sexualität, also auch in der persönlichen Beziehung geht es mehr und mehr darum, auch diese zu optimieren.

Die heutige Unübersichtlichkeit sucht eine bestmögliche Verwertung, indem die operationalisierbare Technik gezielt dabei hilft, Treffen zu vereinbaren, für die entsprechende Bewertung auf dem Portal im Anschluss der Optimierung zu sorgen oder sogar die Berechenbarkeit des eigenen verfeinerten Verhaltens einer Matrix der Verwertungslogik zu unterwerfen.

Ich frage mich, angesichts der digitalen Optionen, was ohne diese mechanistisch durchdachte Logik in der heutigen Zeit überhaupt noch abläuft? Magst du dazu eine Idee geben? Ich werde meine Zeit nach diesen Erkenntnissen bewusster gestalten - und du?

WER IST MENSCH ?

Ein Mensch steht „für sich" und lebt weniger nur „an sich".

Er ist „auf etwas aus" und sieht sich auch „vorweg".

Er kann um sein Sein und auch sein Nicht-Sein „wissen".

Weiterhin zeichnet er sich durch sein Selbstsein aus und hat die Möglichkeit, „zu wissen was er tut".

Auch kann er dafür sorgen, etwas „Bedeutung zu geben", da es sein Ansinnen ist, sich selbst zu formen und er flexibel wie kreativ auf Neues zu reagieren weiß.

Eine Wertschätzung für Zeit resultiert aus dem Wissen eines unumgänglichen Todes, und dies gibt ihm die Chance, mit Vertrauen im Moment zu leben.

Die Balance zwischen Erleben, Erkennen und Vergessen wird ihm zum Geschenk in Begegnung, und durch all dieses kann er Glück und Frieden finden.

Was also würde es bringen, wenn Mensch danach streben würde, all diese Aspekte durch Technik überwinden zu wollen?

Reicht es doch, dies im Frieden mit und in sich friedvoll zu integrieren und mit der Mitwelt liebevoll zu teilen, oder?

VERÄNDERTES BEWUSSTSEIN – SPÜRBAR?

Wir Menschen bewegen uns in Zeit und Raum und geben den Erscheinungen des Augenblicks einen Sinn. Ohne diesen Sinn wären wir lebensunfähig und orientierungslos.

Führte die industrielle Revolution zu einer Evolution des Bewusstseins?

Ich gehe davon aus, dass der Mensch sein Bewusstsein stufenweise aus einem Sinn entwickelt. Innerhalb der Menschheitsgeschichte lassen sich verschiedene Entwicklungsstufen kurz beschreiben. Der Mensch nimmt bei der Deutung von Sachverhalten eine Position mit meist einer Meinung, einer scheinbar einzig existierenden Wahrheit ein. Lange Zeit waren es vor allem die umgebenden Lebensbedingungen, die das Bewusstsein und die Perspektiven auf die Welt bestimmten. Geistig-kulturell befinden wir uns dauernd auf einer immer neuen Suche nach einer Verortung in gegenwärtigen und zukünftigen Zeitfenstern.

Gleichzeitig trägt jeder Mensch genetisch und subtil die Stammesgeschichte seiner Vorfahren, die einmal physisch ausgetragenen Kriege, die durch Erbfolge erlebten Königreiche, die kirchlich-religiösen Orientierungen und den Wissenschafts- und Fortschrittsglauben der Moderne in sich. Heute leben wir in den westlich geprägten Gesellschaften in Zeiten einer mehr oder weniger vielfältigen Pluralität von Meinungen und Ansichten, die ihre Legitimation aus dem eigenen ICH und den verschiedenen WIR-Gemeinschaften beziehen. So trägt jeder einen Tunnelblick in sich und ist sich oft (vermeintlich) sicher, mit der eigenen "absoluten" Meinung im Recht zu sein. Auch wird über die Fehlentwicklungen des industriellen Fortschritts und die Segnungen der Industrialisierung, die uns Menschen vor allem seit rund 250 Jahren in eine technisch globalisierte Welt geführt hat, trefflich gestritten.

Aus einem Primärbewusstsein sich ein so genanntes Sekundärbewusstsein entwickelt. Das Besondere daran ist, dass Menschen mit diesen Wahrnehmungs- und Deutungsmöglichkeiten beim Blick auf die Welt einerseits die Möglichkeit haben, unterschiedliche, also als absolut definierte Standpunkte kognitiv nachzuvollziehen und sich von ihnen emotional weniger vereinnahmen zu lassen. Andererseits gelingt es ihnen eher, die scheinbare Unvereinbarkeit von Sichtweisen friedlich in ihr persönliches Sein zu integrieren bzw. im Handeln mit anderen ausgleichend zu leben.

Die Problematik der unterschiedlichen Existenz von als absolut definierten Bewusstseinsstufen liegt darin, dass Menschen im sekundären Bewusstsein hingegen bestrebt sind, die Vielfalt der Meinungen so zu strukturieren, dass sie nebeneinander ihre Berechtigung finden. „Alles hat seine Zeit und gehört für ein Gelingen zusammen" - genau in dieser Haltung liegt der Wert dieser Bewusstseinsstufe, bei der es darum geht, neue Betrachtungsweisen zu ermöglichen. Die Vertreter hier wollen co-kreativ und scheinbar paradoxerweise gemeinschaftlich-individuell unterwegs sein. Also im persönlichen Dienst an dem, was WIR ALLE gemeinsam der Menschheit, der Natur und allen Lebewesen geben können.

In dieser Wertschätzung jeder (auch absoluten) Perspektive auf die Welt liegt oft auch ein Konflikt. Denn sobald Menschen mit der Dominanz früher verinnerlichter Bewusstseinsstufen erkennen, dass Menschen im sekundären Bewusstsein ein Ordnungssystem anbietet und damit der eigenen Orientierungslosigkeit eine neue Möglichkeit in Haltung und Handeln bietet, reagieren die meisten dieser Menschen mit großem Widerstand. Denn neue Sichtweisen greifen klare wie bewährte Sicherheitskonzepte an und führen oft zu subtiler und offensiver Ablehnung.

Eine solche Bereitschaft co-kreativ zu gestalten und nach Synthese zu suchen, erfordert eine tiefere Auseinandersetzung mit den eigenen Überzeugungen, Fragen nach dem Sinn des bisherigen bzw. den möglichen Konsequenzen des eigenen Handelns. Ggf. entsteht sogar eine Neuinterpretation des Erlebten und eine Veränderung der kommenden Lebensjahre. Gerade Menschen, die aus ihrer eigenen Subjektivität heraus eine absolute Wahrheit in der Vielfalt definieren, empfinden in Kontakt zu Menschen des sekundären Bewusstseins oft Unverständnis. Obwohl beide die gleichen Werte wie z.B. Empathie, Würde, Sinn, Wohlwollen und Verantwortung vertreten, begründen letztere diese weniger auf dem ICH, sondern auf der Basis einer neuen Haltung eines aufbauenden, übergreifenden Verständnis von WIR ALLE.

Wenn das ICH-Bewusstsein in den Hintergrund eines WIR ALLE tritt

Deshalb scheint es mir ein großes Dilemma unserer Zeit zu sein, dass sogar Einladungen in verschiedene Möglichkeitsräume oft nicht wahrgenommen werden. Die dafür notwendige Selbstreflexion, die Arbeit an den eigenen Schatten und der Verlust bisheriger

Glaubenssätze ist mit Angst verbunden. Daher wird der Besitzstand gewahrt und ein Aufbrechen bewährter Ideologien vermieden. Oft stoßen offene Diskurse sogar auf offensive Ablehnung.

Vielleicht zeigt schon die Geschichte, dass die Erweiterung des Bewusstseins erst nach dem Tod von Stammesältesten und Königen Platz fand, dass Theorien von Wissenschaftlern, Aussagen von Religionsstiftern oder Visionen von Weisheitslehrern ebenfalls erst nach deren Ableben mit ihren Erkenntnissen das Bewusstsein anderer beeinflussten. Auch die Erfahrung von Gewalt in physischer oder subtiler Kriegsführung führte erst in anschließenden Friedenszeiten zu notwendigen Bewusstseinsveränderungen.

Wie also werden die heutigen Transformationsprozesse in die Geschichte eingehen? Welches Bewusstsein wird sich verfestigen? Im Rückblick könnte sich zeigen, dass sich ein ganzheitliches Menschenbild durchsetzen konnte, oder vielleicht bestätigen zukünftige Historiker, wie kurzsichtige, absolute und ideologisierte Konzepte die Schönheit des Lebens auf diesem Planeten zerstörten. Oder anders, welche Geschichte hältst du für wahrscheinlich?

Aufgrund meiner Erfahrungen sehe ich mich oft als Dystopist. Das heißt, ich glaube weniger an den Fortbestand der heutigen menschlichen Spezies. Vielmehr vermute ich, dass es eine Koexistenz zwischen uns Menschen und den kommenden Cyborgs geben wird. Nicht so wie es uns in Science-Fiction-Filmen vermittelt wird, sondern vielmehr, dass wir aktuell durch unsere Affinität zu Technik und Forschung, u.a. in der Robotik (Stichwort: Roboter AMECA), selbst schon als Modell dieser zukünftigen technischen Perfektion agieren.

So übe ich mich darin, die Möglichkeiten des Individuellen für das Gemeinsame weiter auszuloten. Dies mag als eine eher utopisch anmutende Legitimation meines Tuns erscheinen. Aber um meinen Lebenssinn zu verfolgen, bleibt mir wohl nichts anderes übrig, als diesen Hoffnungsschimmer weiter zu pflegen. Denn ohne dieses Motiv wäre die Mitgestaltung einer neuen Beziehungskultur bzw. die Erweiterung des Bewusstseins schon jetzt zum Scheitern verurteilt. Deshalb frage ich eher nach einem „Wofür" als nach einem „Dagegen", versuche Lagerdenken zu vermeiden und Selbstwirksamkeit zu stärken. Daher, welche Geschichte möchtest du sollen die Historiker zukünftiger Zeiten über uns erzählen?

DIE ZUKUNFT IM JETZT

Ich sitze zwischen Salinen und atme die feinen Dämpfe ein, die mit hohem Druck aus einer Wasserdüse in die Luft strömen. Gleichzeitig schaue ich mich um und nehme um mich herum Menschen wahr, die auf Stühlen um die Wasserfontäne verteilt sitzen. Einerseits verschließen sie gedankenverloren die Augen vor der gleißenden Sonne, andererseits saugen sie bewusst die gesunden Partikel des Wasserdampfes in die Lungen ein. Dies geschieht wohl mit Blick auf die eigene Gesundheit. Denn mit dem bewussten Einatmen verbindet sich vielfach die Hoffnung auf eine belastungsärmere Zukunft.

Was ist das für eine „Zukunft" schießt es mir durch den Kopf. An welche Zukunft denken die Menschen hier, höre ich in den Medien, in politischen Reden, in allgegenwärtigen öffentlichen Szenarien

Zukunft stellt ein mentales Konzept zur Orientierung bereit

und in privaten Gesprächen? Meist sind öffentliche Äußerungen mit interessengeleiteten Informationen verbunden, manchmal auch mit bedeutungsschwangeren Appellen. Zum Beispiel: „Der Zukunft zuliebe sollten wir weniger Auto fahren und Müll vermeiden"; oder: „Die Unternehmensziele müssen durch Umsatzsteigerung erreicht werden, um die Arbeitsplätze zu erhalten"; oder: „Das Glück der Eltern wird durch einen Enkel vervollständigt und gibt im Alter eine sinnvolle Aufgabe"; oder: „Auf Anraten meines Arztes sitze ich hier in den Salinen und erhole mich". Allein diese Auswahl zeigt, das jeder von uns sich seine Zukunft prägt.

Schauen wir uns genauer an, was „Zukunft" bedeuten könnte. Nämlich, dass es etwas geben könnte, das in einer Zeitlinie auf uns zukommt, also etwas, das ich planerisch vorwegnehmen kann. Sobald ich also in „die" Zukunft schaue, mich auf „die Zukunft" ausrichte, entsteht in mir ein gewissermaßen konturiertes inneres Bild. Ein Konglomerat von Gedanken und Vorstellungen, das ich mir wie ein Puzzle aus verschiedenen Bausteinen zusammensetze und mit dem ich mich dann vertieft beschäftige. So entsteht im besten Fall ein motivierendes Bild, das z. B. meinem Ideal entspricht oder sogar darüber hinausgeht und an dem ich mein Handeln ausrichte. Im Idealfall versehe ich diese Zukunft mit überprüfbaren, sinnvollen Zielen und klaren Zeitvorgaben. Dabei gleiche ich den Weg in der Zeit immer wieder mit dem Zielbild der dann hoffentlich näher rückenden Zukunft ab. Im besten Fall wird die vorgestellte Zukunft dann zur Gegenwart.

Und damit tappe ich wieder in eine Falle, in der ich den Freuden meiner vielen mentalen Konzepte erliege. Sie ermöglichen mir zwar eine schnelle Klarheit, doch vernachlässige ich dadurch oft den Weg als Ziel wahrzunehmen. Vielleicht beraube ich mich auch der Tiefe einer kontinuierlichen Forschungsreise aus der Gegenwart heraus, indem ich krampfhaft das Ziel im Auge behalte, und das Leben verpasse? Oder schafft das Bild der Zukunft in mir einen Kompass, der mir als Richtung dient?

Aus geistig-spiritueller Sicht bleibt „die vorgestellte Zukunft" sowieso unerreichbar, da sie allein eine Konstruktion des Geistes ist. Denn letztlich bewegen wir Menschen uns vom Jetzt über das Jetzt zum Jetzt. Und doch glaube immer mehr, dass wir Menschen diese Konstruktion von Zukunft brauchen, um Bezüge herzustellen, um Verankerungen in Beziehungen und Strukturen zu schaffen, um also letztlich das Leben zwischen Geburt und Tod quantifizierbar und qualifizierbar zu machen. So stellt sich „Zukunft" als Teil der linear geschaffenen Zeit mit Vergangenheit und Gegenwart vor allem als ein Ordnungssystem dar, das vor allem aus der Metaperspektive seiner Grundlage entbehrt.

Die vielfältigen Zukunftsvorstellungen damaliger Zeiten sind im Rückblick der heutigen Gegenwart vergleichbar mit den vielen feinen Wasserdampfteilchen. Viele mögliche Zukünfte von damals gehen wie viele der einzelnen Partikel an mir vorbei, weil ich mich seinerzeit - aus welchen Gründen auch immer - nur für eine Zukunft entschieden habe. So reagiere ich mit Vorbehalt, wenn jemand von einem Wissen über „die eine Zukunft" spricht, wenn jemand mit Gewissheit Lösungen anbietet und diese, ohne einen co-kreativen Dialog- und Austauschprozess, in die Luft bläst. Denn wie immer sind es die vielen Wasserdampfpartikel, die mir eine Auswahl ermöglichen, um mir ein Bild von Zukunft zu konturieren. Die Zukunft bleibt also eine Momentaufnahme aus der Gegenwart.

Doch aufgrund der heutigen Komplexität und Unübersichtlichkeit ist sie noch weniger verlässlich und vorhersehbar als in der Vergangenheit. Deshalb hilft es, sich gemeinsam forschend auf einen

Zukunft entsteht in gemeinsam gestalteten Denkräumen

neuen Weg durch eine unsichere und chaotische Zeit zu machen. In eine Zeit voller Herausforderungen, in der wir Menschen immer mehr auf Sicht fahren, Fragen stellen, offen aufeinander zugehen, Raum füreinander halten und gemeinsam tapsend die nächsten Schritte für ein Morgen ausprobieren könnten. Bist du dabei und möchtest du möglichen Einladungen zukünftig folgen??

WEITERE TITEL
AUF DIE DU DICH FREUEN DARFST

Die ewige Frage nach Zukunft |
Urteilskraft durch Illusion oder Wirklichkeit? |
Die Einsamkeit eines Brückenbauers |
Partnerschaft bzw. Ehe und platonische Freundschaft |
Bilderreise |
Wenn nicht jetzt, wann dann? |
Menschen in ihrer Zeit |
Seelenverwandtschaft |
Die Bedeutung von Gesellschaft |

Wenn WÜRDE sich als wohlwollendes Fluidum ausbreitet i
Das Geheimnis der Liebe i
Sich sein neues Leben zugestehen i
Beziehungen i
Essenzforscher – wenn Freiheit mehr als nur ein Traum wird i
Regiert Geld die Welt? i
Formen der Liebe |
Vom „Wollen-müssen" zu „Dürfen-können"? |
Der Vergleich ist der Tod der Gegenwart |
Familie |
...

INTERESSE GEWECKT?

*Wenn du an **weiteren Bänden** der Schriftenreihe Interesse hast, melde dich gerne unter kontakt@wuerde-impulse.de Wir senden dir dann gerne die Übersicht aller bisherigen Titel zu. Aus denen kannst deine nächste innere Reise zusammenstellen.*

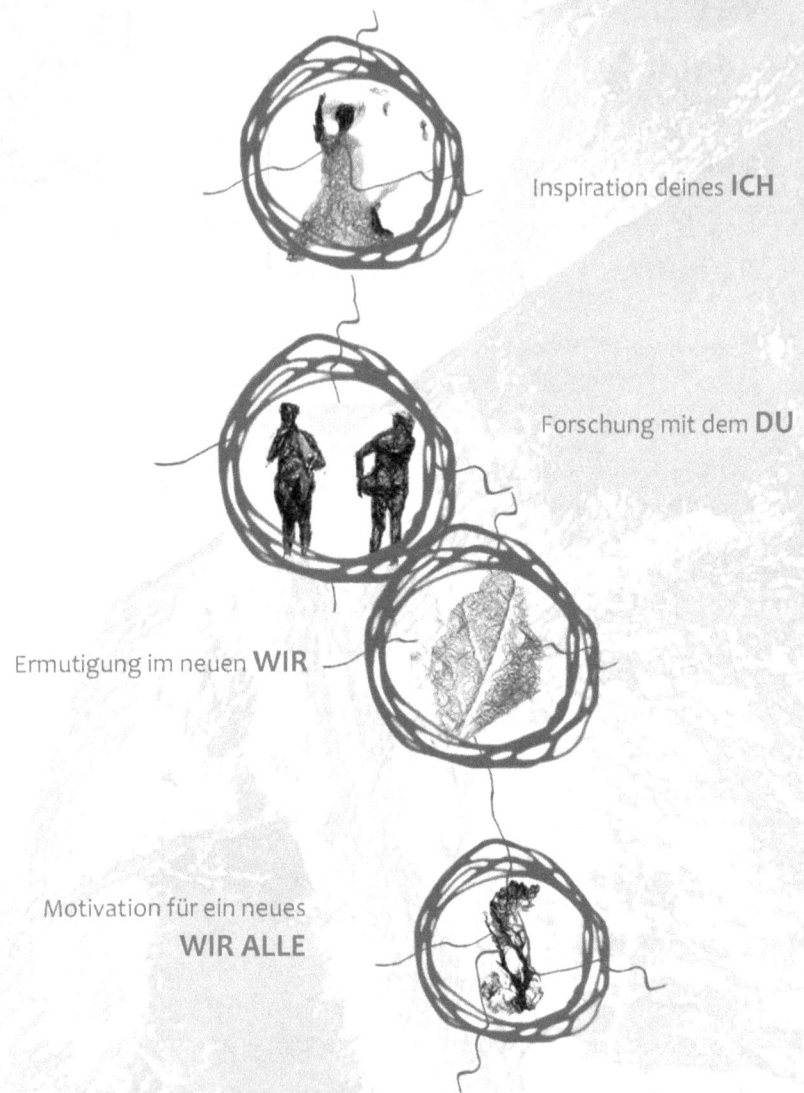

Inspiration deines **ICH**

Forschung mit dem **DU**

Ermutigung im neuen **WIR**

Motivation für ein neues
WIR ALLE

Zeitfracht Medien GmbH
Ferdinand-Jühlke-Straße 7
99095 Erfurt, Deutschland
produktsicherheit@kolibri360.de